EM UM DESSES DIAS QUE A PEQUENA SEREIA SUBIU À SUPERFÍCIE, ELA AVISTOU UM GRANDE NAVIO ONDE HAVIA ALGUNS HUMANOS FESTEJANDO, ENTRE ELES, UM LINDO PRÍNCIPE.

FOI ENTÃO QUE UMA FORTE TEMPESTADE ATINGIU O NAVIO, FAZENDO COM QUE ELE BALANÇASSE MUITO E NAUFRAGASSE. A PEQUENA SEREIA SE APROXIMOU E CONSEGUIU RESGATAR O PRÍNCIPE, QUE ESTAVA DESMAIADO, LEVANDO-O ATÉ A PRAIA.

DE VOLTA AO LAR, A PEQUENA SEREIA PERCEBEU QUE HAVIA SE APAIXONADO PELO PRÍNCIPE E QUE TAMBÉM QUERIA MUITO SE TORNAR HUMANA. ENTÃO, FOI RAPIDAMENTE À PROCURA DA BRUXA DOS MARES, QUE ERA CONHECIDA POR ATENDER A DESEJOS.

A BRUXA FICOU SURPRESA COM A VISITA DA PEQUENA SEREIA E CONCORDOU EM ATENDER A ESSE PEDIDO, COM UMA CONDIÇÃO: EM TROCA, QUERIA PARA SI A BELA VOZ DA JOVEM, POIS TINHA MUITA INVEJA. A SEREIA ACEITOU RAPIDAMENTE O TRATO E LOGO FICOU SEM SUA VOZ.

A PEQUENA SEREIA NADOU ATÉ A SUPERFÍCIE E FOI ATRÁS DO PRÍNCIPE, NA PRAIA. ELE LEVOU A JOVEM PARA O SEU PALÁCIO, E TODOS FICARAM IMPRESSIONADOS COM A BELEZA DA MOÇA. O PRÍNCIPE ACHOU QUE A CONHECIA, MAS ELA NÃO CONSEGUIA FALAR NADA.

COM O PASSAR DOS DIAS, O PRÍNCIPE FOI SE ENCANTANDO PELA MOÇA, MESMO SEM OUVIR UMA PALAVRA DELA. UM DIA, A BRUXA DOS MARES APARECEU NO PALÁCIO COMO UMA BELA MULHER. USANDO A LINDA VOZ DA PEQUENA SEREIA, QUE ESTAVA GUARDADA EM UM MEDALHÃO, ELA ENFEITIÇOU O PRÍNCIPE.

DESESPERADA POR NÃO CONSEGUIR FALAR AO PRÍNCIPE O QUE HAVIA ACONTECIDO, A PEQUENA SEREIA ARRANCOU O MEDALHÃO DO PESCOÇO DA BRUXA E QUEBROU O OBJETO, RECUPERANDO A VOZ. A BRUXA VOLTOU À SUA FORMA ORIGINAL E FICOU FURIOSA.